目錄

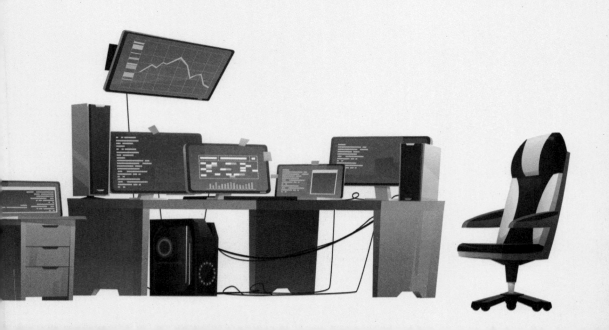

電腦 Computer

　　電腦(Computer)主要有三部分，分別是：硬件、軟件與固件(韌體)。硬件最容易分辨，四四方方的主機、能顯示文字圖片的螢幕、有一堆英文和數字的鍵盤及按下時會發出「嗒嗒嗒」聲音的滑鼠等等，它們都是實物，可以看到甚至摸摸它們。軟件是虛擬的，但是它的作用可大了！讓電腦「動起來」的系統就是軟件之一，網絡瀏覽器、電腦遊戲也是軟件，基本上所有在電腦上運作的程式都是軟件，它們可以複製、更新和刪除來滿足使用者的需要。固件和軟件有點像，不過固件只會專為一個硬件服務，配合主機或其他軟件運作，千萬不要隨便改動或刪掉，這樣可能會令硬件無法使用呢！

這個也是電腦嗎？

　　電腦的種類可多了！桌上型電腦包括電腦主機、螢幕、滑鼠和鍵盤，一般會在室內使用，它的硬件比較靈活，螢幕、鍵盤都可以更換。手提電腦的螢幕、滑鼠和鍵盤等所有硬件是一體的，又稱為筆記型電腦。平板電腦像是比較大的智能手機，一般可以觸碰螢幕來操作，也可以配合外置的鍵盤使用。

✏️ 填填看 　拆開電腦來探究

電腦要有輸入、輸出和儲存裝置才能好好運行,你能分辨出電腦的不同部分嗎?在空白位置填上以下詞語:

> **輸入　輸出　儲存**　主機　螢幕　鍵盤　滑鼠　主機板　硬碟　光碟機
> CPU(中央處理器)　記憶體　電源供應器　風扇

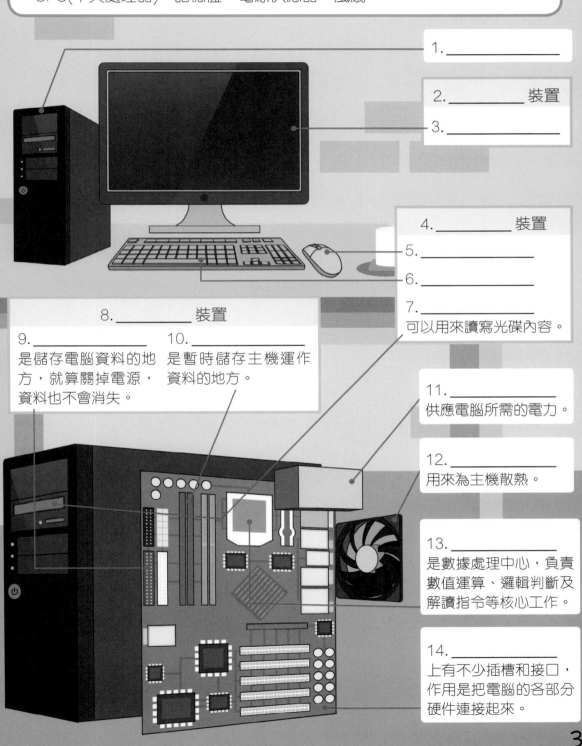

1. _____

2. _____裝置
3. _____

4. _____裝置
5. _____
6. _____
7. _____
可以用來讀寫光碟內容。

8. _____裝置

9. _____
是儲存電腦資料的地方,就算關掉電源,資料也不會消失。

10. _____
是暫時儲存主機運作資料的地方。

11. _____
供應電腦所需的電力。

12. _____
用來為主機散熱。

13. _____
是數據處理中心,負責數值運算、邏輯判斷及解讀指令等核心工作。

14. _____
上有不少插槽和接口,作用是把電腦的各部分硬件連接起來。

3

智能電話 Smartphone

放大、縮小、點擊⋯⋯！智能電話真方便，只要用手指碰碰就能改變圖像的大小和開啟想要的軟件。為什麼智能電話不用鍵盤就能打字呢？是不是愈用力就能操作得愈好呢？

智能電話使用的是電容式觸控螢幕，並非透過力度，而是透過電荷的變化接收資訊。使用智能電話時，我們眼睛只能看到螢幕面板的玻璃，事實上玻璃之下還有不少導電基板(就好像非常細小的電線)，而設備會向螢幕四邊放電，在表面上形成均勻電場。冬天時你被靜電「電」過嗎？靜電就是電荷的一種，當你的手指接觸螢幕時，由於人體帶有電荷，因此會影響面板的電容量，面板的控制器根據四個角落的電流變化，就能推算出手指觸摸的位置，再傳送給手機執行指令，這樣用家和手機就可進行互動了。

鋰離子電池＝鋰電池？

智能電話的鋰離子電池(Lithium-ion battery) 是它的電力來源。鋰離子電池的電極一般是用鋰和石墨所造，這兩種物料非常輕，適合講求便利性的智能電話。而且比起一般電池使用的物料，鋰可存放更多的能量，釋放更多的電能，可以應付吃電很重的螢幕和手機遊戲。鋰離子電池經常被稱為「鋰電池」，跟鋰電池不一樣，鋰離子電池可以充電非常多次，而鋰電池則不能。記得不要用到一點電量都沒有才充電，電壓過低可能使電池損壞，再也沒法充電了！

試用以下的不同物料當作觸控筆，觸碰螢幕後，看看哪些物料能操作觸控螢幕，在可以的操作觸控螢幕的物料旁填✓，不可以的填✗。

注意：測試時不要太大力，也不要用物料尖銳的部分觸碰螢幕，小心避免刮花螢幕喔！

☐ 棉花棒

☐ 鋁箔紙(俗稱「錫紙」)

☐ 充電線

☐ 紙

☐ 矽膠刮刀

☐ 毛巾

☐ 塑膠筆蓋

☐ 未使用過的木鉛筆

☐ 水果

☐ 金屬萬字夾

無線電波 Radio waves

看卡通的電視，打電話的手機，聽音樂的收音機……原來我們使用時看到的視像和聽到的聲音都是由空氣中的無線電波轉化而來，這些看不到的無線電波究竟怎樣運作的呢？

無線電波是電磁波一種，它就好像磁鐵一樣，同類會互相排斥。因此當無線電波射出時，會將前面電波向前推，電波就可以在空氣中傳播。這就是電台節目被叫作「大氣電波」的原因喔！電視節目和通訊內容轉換成電子訊號，再加碼成無線電波，利用空氣傳送到各個地方。而使用無線電波的電器附有天線，可以幫我們接收這些電波，解密這些訊號後，我們就可以聽到聲音和看到畫面了！

從這裡，到那裡

電波到底是如何去到遠遠的另一方呢？我們來追蹤它的路徑吧！

當有人打電話的時候，手機內置的天線會把通話訊號轉化為無線電波，再向空中發射。發射站接收到電波後，就會一直把電波轉送到發射網絡的樞紐(中心)。然後通過電纜、光纖或者通訊衛星等設備，把電波傳送最近接收者的發射站，再由發射站把電波傳送給手機，接收者的手機就能收到來電了！

做實驗 被阻擋了的無線電波訊號

　　有辦法在不關閉電話電源的情況下，阻擋來電嗎？可利用導電的鋁箔紙來影響電磁波的傳遞，使儀器接受不到訊號，試試以下的實驗吧！

材料

剪刀

間尺

手機 × 2

鋁箔紙
(俗稱「錫紙」)

鋁箔紙盤
(俗稱「錫紙盤」)

Step 1

測試電話能否正常通話，需要設定為不進入休眠狀態和提升鈴聲音量喔。

Step 2

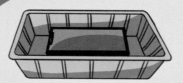

將其中一部手機放進鋁箔紙盤，然後致電看看有沒有響鈴，如果沒有即表示鋁箔紙盤太深，需要把手機墊高。

Step 4

把鋁箔紙拿起並剪成15-20條闊1.3cm的長條，長度要比鋁箔紙盤最長的部分長。

Step 3

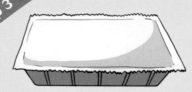

用鋁箔紙蓋上鋁箔紙盤，然後致電，正常情況下電話應該不會響，如果響了，請用鋁箔紙壓實紙盤四邊。

Step 5

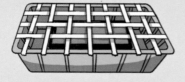

將鋁箔條橫直相間平均地放在鋁箔紙盤上，完成的樣子就像餡餅一樣有很多正方形的小格子。

透過格子看手機屏幕，現在手機訊號強嗎？試移動鋁箔條把格子拉大縮小，紀錄格子的大小對訊號有什麼影響吧！(解說見P.32)

7

互聯網 Internet

做專題研習時經常用到互聯網，除了可以上網找到想要的圖片和資料外，還可以和世界各地的人溝通，真的很方便呢！

我們上網的時候，並不是開了電腦就能直接連到互聯網，而是需要透過一個調製解調器(Modem)，它會把我們傳送和接收的訊息不斷轉化及解碼。之後Modem會將訊息傳輸到你所使用的網絡服務供應商(ISP)，再將這個網絡與其他網絡連結起來。無數個位處不同地方的網絡互相連接後，就形成了巨大的互聯網，各個網絡上的電腦都能和其他電腦分享數據和信息，你就可以暢遊互聯網了。有了互聯網，電腦與電腦之間可以不受地域和時間限制，自由地分享各種文化和資訊，加快了信息的流通，連接世界各地。

網絡上的虛擬助理

遇到難題時我們可能會使用搜尋器找答案，例如說如何去某個地方？在哪裏可以買到想吃的東西？等等，這些工作都可以讓虛擬助理代勞呢！現時最有名的虛擬助理有蘋果公司的Siri、亞馬遜的Alexa、Google的Google Assistant和微軟的Cortana，只需要用名字或打開軟件「喚醒」它們，就可以直接跟它們聊天、問問題，助理會從網絡上尋找並提供各種資訊，甚至會講笑話逗你笑呢！

連連看 網路連接圖

　　我們的科技產品是怎樣連上互聯網的呢？請把以下各樣物件連接起來，讓我們足不出戶，連接世界吧！

互聯網(Internet)

網絡服務供應商
(ISP)

調製調解器
(Modem)

電腦B

電腦A

路由器
(Router)

平板電腦

手提電腦

無線打印機

智能電話

條碼 Barcode

「嘟──」零食買好了，真快！明明包裝沒有寫出來，店員把貨物「嘟」一下，就知道了價錢，好厲害啊！

事實上，店員「嘟」一下是為了掃描貨物包裝上的條碼。一個條碼由很多粗幼不一、黑白相間的線條組成，把條碼拆解開來，每個數字由7條黑線或白線組成，全部都是獨一無二的，有時候是三條黑線拼起來，有時是2條白線拼起來……這就是條碼線條有不同粗幼的原因。

當店員用機器掃描條碼時，機器會發出雷射光線，反射出白色線條的部分，從而辨認出條碼所表示的數字。換言之，掃描是代替了手動輸入貨品的編號，「嘟」一下就把條碼轉換成文字，再在資料庫找出該貨品的價錢、庫存等資料，節省結帳的時間。

條碼的組成

4 891234 567867

國際編號
(貨品生產公司註冊地)
香港：489
台灣：471
日本：450 - 459，490 - 499
英國：500 - 509
中國：690 - 699
南韓：880

生產公司代號

產品參考編號

終檢碼
(產品的身份證)
用來檢查頭12個
數字有否出錯

二維碼QR code

雖然掃描條碼很快捷，不過能夠儲存的訊息不多，掃描時也要規規矩矩的把條碼打直放好。二維碼就不一樣了，資訊容量最大的二維碼可容納7089個數字，掃一下可以打開一個連結網址、記錄身份資料、用電子錢包付款……加上三個角落有用來定位的四個小方格，360度全方位都能掃到；另一方面，愈大的二維碼的容錯能力就愈高，缺少了部分都能被讀取呢。

除了收銀櫃台的雷射光外，手機掃描軟件也能掃描到條碼和二維碼，你可以試試掃描以下的條碼和二維碼。在可以掃描到的條碼和二維碼旁填✓，不可以的填✗，並在橫線上填上掃描到的內容。

注意：手機需要預先安裝掃描軟件。

☐ 1. 這個網站是：

_____

☐ 2. 這個內容是：

_____

☐ 3. 這個內容是：

_____

☐ 4. 這個網站是：

_____

☐ 5. 這個網站是：

_____

☐ 6. 這個內容是：

_____

☐ 7. 這個內容是：

_____

智能卡 Integrated Circuit Card

你試過用八達通「拍卡」嗎？只是輕輕碰一碰就能「入閘」乘地鐵或是買東西付款。八達通是其中的一款智能卡，其他還有信用卡、電話卡、身份證等。

以前用信用卡稱為「刷卡」，使用磁帶記錄資料，然後刷過終端機來完成交易。現在使用的智能卡看上去就像一塊塑膠卡片，有些卡面鑲嵌一塊小小的金屬晶片。晶片比磁帶安全性更高，資料儲存量也更多，銀行卡及身份證等需要更安全的智能卡，甚至會加入好像迷你電腦一樣的微處理器，能加密解密卡片內的資料。其中，接觸式卡片需要「插卡」，把晶片放進讀卡器內讀取資料，就好像電話卡要放進手機使用一樣；非接觸式卡片例如八達通等，卡片內置感應天線，使用時只需要把卡片靠近讀卡設備就可以了。

無人商店的運作

無人商店是真的沒有店員嗎？可以拿了貨品就走嗎？

在美國的亞馬遜無人超市，顧客只需使用手機程式進入超市，然後就可以拿起貨品直接離開！這是因為無人商店使用了其他方式為顧客結帳。首先，超市的手機程式需要登記使用者信用卡和個人資料，購物時店內的攝影機和感測器會一直追蹤顧客的活動，從哪個貨架拿走了什麼貨物都一一紀錄在案，所以在離開時電腦就會自動計算貨品金額，再用顧客的信用卡扣款，以此確保沒有人可以不付款偷偷拿走貨品！

智能卡可以用來做什麼？

智能卡的用途很多，我們在學校裏也經常會使用到智能卡。請把以下各用途填在校園不同位置的橫線上(每個選項可填多於一次)。

付車資　進入學校　付款　交費　借書　打電話回家　進入教員室

1. _____

2. _____

3. _____

4. _____

5. _____

6. _____

7. _____

8. _____

9. _____

電磁爐 Induction Stove

準備晚餐的時間，鍋裏煮的食物咕嚕咕嚕的冒出蒸氣。咦？為什麼煮食爐的表面沒有火也不怎樣熱呢？原來這是電磁爐。

煮食爐有分為明火和電熱兩種：如果煮食時能看到火光，那就是使用燃氣的明火煮食爐；如果只是把器皿放上一個平面就能加熱，那就是使用電熱的電磁爐了。

電磁爐的表面只有一個平面和一些觸控按鈕，但是它的表面其實是一塊隔熱板，下方有銅製線圈，電流會通過線圈產生電磁場，當磁場內的磁力接觸到鍋具底部時，就會產生無數小渦流，電的能量被轉化成熱能，在電磁爐上方的器皿底部會因而發熱，煮熟裏面的食物。由於電磁爐並不是直接使用火的熱力來加熱器皿，所以爐身不會怎樣發熱呢！

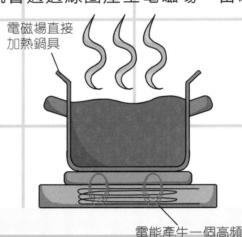

電磁場直接加熱鍋具

電能產生一個高頻率、交流的磁場

什麼鍋具適合電磁爐使用？

並不是所有鍋具都適合電磁爐使用。由於要產生電磁感應讓器皿發熱，只有「鐵磁性金屬」器皿所產生的熱力才夠高來加熱煮食。這

樣的鍋具並不難找，拿一塊磁石放在各種器皿上，能被磁石吸住的就是鐵磁性金屬了。現時一般煮食用鍋具是不鏽鋼或鐵製，普通陶瓷或鋁製的都不適用，只有一些電磁爐專用的陶瓷或搪瓷鍋，製作時加入了鐵磁性金屬，才可用於電磁爐呢。

電磁爐讓我們知道電力可以產生磁力，事實上當磁石通過金屬線圈時也會產生電力，稱為電磁感應。現在試用這個原理，一起來製作用手搖動就會發亮的電筒吧！

材料

粗飲管　　強力磁鐵（直徑約1cm）　　漆包線　　海棉膠貼　　砂紙　　LED燈珠

Step 1

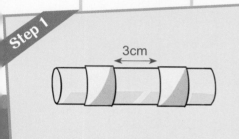

3cm

飲管剪成姆指和中指可以握住的長度，在飲管兩端纏上海棉膠貼，中間留3cm距離。

Step 2

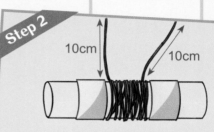

10cm　　10cm

把漆包線緊密整齊地纏在海棉膠貼中間300-500遍，兩邊留約10cm的漆包線。

Step 3

把剩下兩端的漆包線纏繞在一起。

Step 4

用砂紙磨去漆包線兩頭(約2.5cm)的外層。

Step 5

將燈珠的接腳兩頭向外彎起，用漆包線兩端分別纏繞接腳上。

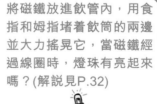

將磁鐵放進飲管內，用食指和姆指堵着飲筒的兩邊並大力搖晃它，當磁鐵經過線圈時，燈珠有亮起來嗎？(解說見P.32)

製冷系統 Refrigeration Systems

　　呼~呼~炎炎夏日，最舒服不過是吹着冷氣吃雪糕了！冷氣機和雪櫃為炎夏帶來涼快宜人的溫度，我們來了解一下它們的製冷原理吧。

　　冷氣機的功能是將室內的熱力排放到室外，從而令室內變得涼快。要做到這一點，需要用到把熱力「帶走」的雪種(製冷劑)，雪種是一種能輕易由氣體變液體再變回氣體的化學物質，它在冷氣機的銅管中流動，在室內的壓縮機會提升雪種的沸點讓它蒸發成為氣體，用以吸收室內的熱量，再透過冷凝器降低沸點，讓它變回液體，將之前吸收的熱力排放到室外，這個過程不停循環，達到製冷的效果。雪櫃的製冷過程也差不多，只是改為把雪櫃內的熱力排到雪櫃外，所以它的機身摸上去總是熱熱的。

(氣體→液體)
冷凝器

壓縮器
(氣體→液體)

銅管

▲製冷的循環。

古人的冷氣機

　　不用電也可以有冷氣嗎？原來古人早就已經發明了「冷氣」！古波斯人利用水冷概念，在屋頂上安裝風桿，當室外的自然風吹拂過冷水後，就能降低室內的溫度。而中國唐朝的宮殿安裝了機械裝置，利用水能推動「風扇」的扇葉，將清風吹到室內，同時把冷水引導上屋頂，再從屋頂四周流下形成人工水簾，利用自然水冷使室內降溫。

家中有迷你小風扇嗎？想吹出來的風更涼爽一點，就試試用它來製作水冷風扇吧！

材料

| 箱頭筆 | 剪刀 | 冰塊 | 彈力線/橡筋 | 迷你小風扇 | 有蓋紙箱 | 膠碗* | 膠碟* |

*大小要能放進紙箱內。

Step 1

把迷你小風扇出風方向向下放在紙箱的蓋子上，用箱頭筆沿着風扇的周邊描畫一圈，只畫扇葉的部分就可以了。

Step 2

用剪刀把蓋子上箱頭筆標記的位置剪開，試試把風扇開啟放在洞口，應該不會阻擋風出。

Step 4

將冰塊倒入碗中，將碗放在碟子上(碟子盛着冰塊的倒汗水)，再將它們放置在紙箱內。

Step 3

在預計出風位置(盒子的其中一個側面)用箱頭筆畫一個圓圈，用剪刀把圓圈剪開。

Step 5

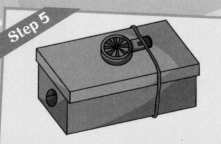

蓋上紙箱後，開啟風扇並把它用彈力線固定在蓋子的洞口上。

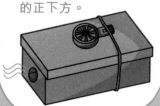

在出風位置觀察，感受到冷風了嗎？如果不夠涼的話，也可以試試調整冰塊的位置，把它放置在風扇的正下方。

溫室 Greenhouse

　　蕃茄、西瓜和豆角原本都是只有夏天才能吃到，不過現在冬天也能種出這些美味的蔬果，農夫是怎樣做到的呢？

　　答案是「溫室」！冬天氣溫很低，在戶外種植的話，不耐寒的熱帶植物及需要很多水份的植物就很難生長，所以以往在冬天很難吃到其他季節的蔬果。不過使用溫室技術，不同季節的蔬果一年四季都可收成。

　　溫室大多由玻璃建造，當陽光照射進透明的屋頂時，土壤吸收了熱力，室內的空氣會變暖，由於陽光照射進室內後，溫室的玻璃阻止了大部分從地面反射的紅外線再次穿出室外，熱力留在溫室內形成輻射熱，這就是溫室裏冬天也很溫暖的原因。加上在溫室的植物不受風吹雨打，水份不會因日照而過度蒸發，有溫暖又穩定的環境，植物自然能長得高高壯壯！

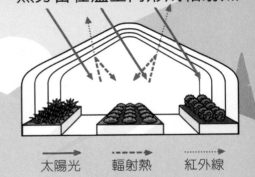

太陽光　　　輻射熱　　　紅外線

地球變熱了嗎？

　　我們居住的地球就像溫室一樣，不過「屋頂」不是玻璃而是大氣層。當陽光照射到地球時，大氣層中的二氧化碳、甲烷、臭氧等氣體就像溫室的玻璃一樣，能夠防止部分的熱力離開，就算是晚上沒有陽光，地球也不會變得冷冰冰，這就是「溫室效應」，而那些氣體被稱為「溫室氣體」。近年因為工業活動頻繁和人類生活模式的改變，大氣層中的溫室氣體愈來愈多，使地球的氣溫漸漸上升，造成了令人擔憂的「全球暖化」。

太陽光　　　溫室氣體　　　紅外線

填顏色　捉拿溫室氣體！

雖然農夫的溫室能增加蔬果的收成，不過溫室氣體太多就不好了。不想地球變成愈來愈熱的大溫室，就要減少排放溫室氣體(碳排放)，請把會造成大量碳排放的活動填上紅色，把更環保的行為填上綠色。

購買本地食材

乘搭飛機

風力發電

砍伐森林

工廠生產商品

燃燒垃圾

飼養牛

使用節能電器

晾衣服

乘搭公共交通工具

水耕系統 Hydroponics

沒有土壤也可以耕種嗎？水耕就是不用泥土的栽種方法，它不用佔據地面的農田，農夫可以在溫室，甚至在工廠大廈內，透過太陽燈和水來耕種。需要的水也不是普通的水，它們添加了營養劑，內含植物生長必需的營養成分，當中必要的元素有氮、磷、鉀，次要元素有鈣、鎂、硫，以及一些微量元素，可以讓植物「快高長大」。由於水耕系統的植物生長環境長期受到控制，很少受到蟲害的破壞，既不怕風吹雨打，也不怕土壤被污染，這樣生產出來的農作物，收成的時間穩定，品質有保證又衛生，更減少了水資源的浪費呢！

魚菜共生

和大家的認知不同，養魚原來不太環保，除了浪費食水，魚的排泄物含有氮、氨等成分，大量排出會污染海洋，造成環境的負擔。不過透過魚菜共生系統，將養魚的廢水來供水耕菜苗當作營養劑使用，反而變成了蔬菜的養分，而且蔬菜把水淨化後又可以流到魚池循環再用。不過，因為用來灌溉的水同樣也是養魚的水，不能使用農藥殺蟲，也有部分水耕營養劑利於養魚，栽種前要先好好了解魚菜的品種是否合適喔！

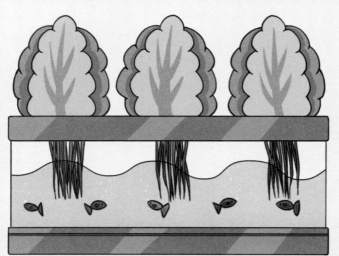

想要一個「私家水耕系統」嗎？試試以下的手作吧！

材料

水

剪刀

棉花球
若干

2L塑膠
飲料瓶

15-20cm的
棉繩或麻繩

種子(推薦綠豆、
小蕃茄、生菜、
羅勒、芝麻菜)

Step 1

打開瓶蓋，將塑膠飲料瓶攔腰剪開，把剪下的上半部分反轉，如「漏斗」一樣放在下半部分的瓶子中。

Step 2

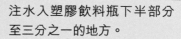
注水入塑膠飲料瓶下半部分至三分之一的地方。

Step 3

將棉繩或麻繩的一端經瓶口放入瓶底，(一定要碰到瓶底喔！)另一端盤起置在「漏斗」的底部。

Step 4

把棉花球稍微拉鬆一點，塞在「漏斗」中。再取2-5顆種子放在棉花球的中心。

Step 5

用少量水弄濕棉花球。棉繩或麻繩會繼續在整個水耕栽種的過程為植物提供水份喔！

將完成的瓶子放到陽光照射到的地方，觀察種子生長。如果經過幾天後水份被蒸發太多就要幫它加點水了！

物料科學 Materials Science

　　什麼是物料？我們的日常生活使用的工具都是由不同物料所造的，就好像家中的桌子、用來喝水的杯子等，未成型之前都只是木材和塑膠。認識不同物料的特性，可以讓我們使用它們來製造有不同功能的物品。例如我們身上穿的衣服需要能遮蔽身體、方便活動和保溫，我們就要尋找適合相關條件的物料，使用硬梆梆的金屬和易脆透明的玻璃都是不合適的，但棉和羊毛等柔軟、透氣的物料就比較適合用來製作衣物。物料科學就是研究不同物料功能的科學，科學家會不時發現新的物料，就好像光纖的發現使互聯網的發展一日千里，能夠改善環境和人類的生活。

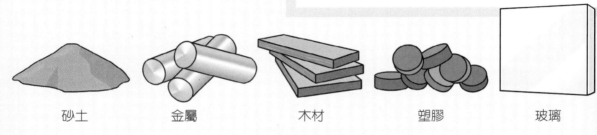

| 砂土 | 金屬 | 木材 | 塑膠 | 玻璃 |

▲常見的物料。

防水物料和導電物料

　　生活中經常接觸的物料中有防水物料和導電物料。防水物料不能讓水進入或通過它，遮擋雨水的雨傘、洗碗用的塑膠手套等，都是為了防止水進入、保持內部乾燥，而選擇使用防水物料製作的。導電物料能夠讓電流通過，大部分金屬都屬於導電物料，而電器中的電線就應用了金屬可導電的特性，能夠將電力傳送至電器。

▲防水物料。　　▲導電物料。

物料各自擁有不同的特性，可以用來製作多種物品。試分辨以下這些物品用了什麼物料製作和這些物料的特性。請把答案填在色塊內 (每個選項可填多於一次)。

物料　木　金屬　塑膠　棉　玻璃

物料特性　導熱　防水　透明　不導熱　導電　堅硬　柔軟　不導電　不透明

1. 門

10. 插座保護蓋

4. 煲柄

2. 相架

3. 煲

5. 眼鏡鏡片

6. 洗碗手套

7. 鐵釘

8. 布偶

9. 杯

電動車 Electric Cars

　　遙控車可以使用電池穿梭路面，但汽車可以用電池行走嗎？傳統汽車以汽油或者天然氣等化石能源為汽車提供動力，由於引擎能源效率比發電站要低，發動時也會排放廢氣，造成空氣污染，所以環保的電動車應運而生。

　　電動車使用充電式的電池，只要接駁電源就能充電，現時很多停車場和商場都有相關設備讓汽車充電，跟以往一定要去油站才能「入油」行車有所不同。電動車以電池驅動的好處是，推動馬達不用燃燒汽油，能源效率很高，在行駛中所產生的噪音也比傳統汽油車少，開動時既寧靜又穩定。加上使用電池而非化石燃油，可減少路面廢氣如二氧化碳的排放，有助改善路面空氣質素。

太陽能汽車？

　　為求環保，我們應該多使用清潔能源，例如是風力、水力、太陽能等。那麼，可以使用太陽能來做汽車的電源嗎？這的確是一個很好的方向，因為太陽能是一種幾乎無污染的可再生能源呢！不過由於太陽能受天氣限制(沒有太陽的日子就收集不到電力了)，加上技術未臻成熟，未必有足夠電力支撐汽車長時間行駛，所以暫時只有使用太陽能和燃油混合車，希望科技進一步發展，我們的出行以後能變得更環保吧！

不用電不用油，只用橡筋也可以「開車」！橡筋的特性是被拉長之後，會儲存勢能，恢復原狀時能量釋放，產生了動能，橡筋車就是利用這點來向前駛呢！

材料

| 橡筋 | 剪刀 | 竹籤
(2支) | 膠飲筒 | 雪條棍 | 膠樽蓋
(4個) | 熱熔膠* | 尖頭螺絲批
或迷你電鑽* |

*為免危險，使用熱熔膠槍和迷你電鑽時，應請大人從旁協助。

Tips
每次使用熱熔膠後，一定要待乾透才可進行下一個步驟喔！

Step 1

將2條雪條棍拼成A字形狀然後用熱熔膠黏住，放一邊晾乾待用。

Step 2

用尖頭螺絲批或迷你電鑽在4個樽蓋中心各鑽一個小洞，大小要可讓竹籤穿過。

Step 4

用竹籤穿過飲筒，把樽蓋套上竹籤的四端，試試樽蓋是否可以如輪子一樣前後滾動，然後用熱熔膠把樽蓋和竹籤黏起來。竹籤的頭不應凸出樽蓋以外，請把多餘的部分剪走。

Step 3

在Step 1 的 A 字雪條棍的前方貼上一條長度比它寬1cm的飲筒，後方貼上各一截1cm長的飲筒。

Step 5

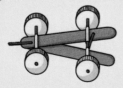

剪下兩支2cm長的竹籤，一支用熱熔膠固定在後方竹籤的正中位置，另一支凸出一半，固定在A字的正中位置。

把橡筋套上正中的兩支竹籤，把橡筋車向後拖，橡筋會被拉緊，當它回彈的時候，就會產生前進的動力，一往直前！

Step 6

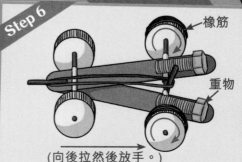

橡筋

重物

（向後拉然後放手。）

用橡筋緊緊纏上兩個後輪數圈，在後輪旁的雪條棍上貼上重物，如用完的3A電池或是小螺絲。

無人機 Drones

　　無人機(無人航空載具)真的無人駕駛嗎？雖然不需要駕駛員親身在飛機上操作，但是無人機仍然要由人手遙控飛行或監察自動駕駛的任務呢！

　　傳統飛機需要由飛行員在機上駕駛，耗油量相當大，而且成本也很高昂。相對地，因無人機的硬件不多，所以體積非常小巧，可以按工作需要安裝不同的配件，不過尋找位置的GPS裝置、測量飛行高度的儀器、用來拍攝地面的攝影機等，對無人機飛行來說都是必須的。無人機機身輕巧，以四個機翼上的螺旋漿飛行，比傳統飛機耗油量低，成本相宜，加上運作時安靜、靈活，可以去到非常崎嶇、人類難以到達或發生戰亂的地方拍攝影片，十分適合進行科學觀測及偵查地形的任務。

拯救生命的無人機

　　每當火警或海上發生意外時，消防員和救生員都需要出動拯救生命，而無人機也可以成為他們的好幫手呢！由於無人機可以快速到達事故現場，透過高空拍攝，能夠更快確認火警的源頭和現場情況。加上無人機可以裝載不同的配件，能因應災區不同情況作出協助，例如夜間出動時配置熱成像鏡頭，用以尋找肉眼難以偵察的生還者，也可以把救生圈拋給溺水者，甚至運送醫療用品等。

追蹤無人機

請你幫幫無人機找尋飛到降落地點的路線吧！記得要避開無人機不能飛越的地方啊！

機械人 Robots

圓圓的掃地機械人，工廠的包裝機械人，甚至在太空探索的探測器也是機械人，它們不一定是人型，有些甚至只有一隻手臂，卻能幫上人類大忙呢！

機械人是被電腦編程後，能自動執行任務的人造裝置。一個基本的機械人由機電裝置組裝，包括活動及動力裝置，由電腦程式或是電子電路控制。一些對人類而言太重複、太危險、對健康有害的工作，例如是工廠包裝、探索太空或水下等不適合人類生存的地方、化石燃油鑽探開採等等，都可以使用機械人代勞。隨着科技的發展，機械人的成本降低了，動作也變得更精細，它們也開始出現在家用市場和醫療中心，就好像掃地機械人和送藥機械人等，讓人類的生活變得愈來愈方便。

AI=機械人嗎？

電影裡面的機械人總是顯得非常聰明，會自己思考和行動，因此人們很容易把AI(人工智能)和機械人兩者搞混。事實上，AI是指「人工」編寫的電腦程式，透過不同的演算法，去感知、學習和解決一些本來需要人類智慧的任務。互聯網網站的搜索引擎、路線查找器和手機的虛擬助理都是AI群體的一分子喔！也有一些機械人裝載了AI程式，動作由AI程式推動而不是由人類操作，它們被稱為AI機械人。

機械人可以做什麼？雖然製作機械人一般牽涉複雜的電腦程式編寫，不過也有簡單的入門方法。試試製作以下簡易的畫畫機械人吧！

材料

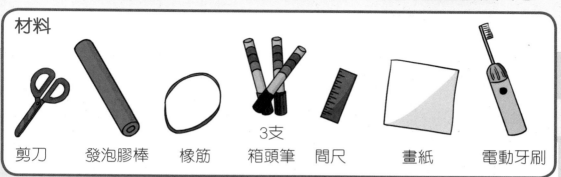

剪刀　發泡膠棒　橡筋　箱頭筆（3支）　間尺　畫紙　電動牙刷

Step 1

15cm

剪一條15cm長的發泡膠棒。

Step 2

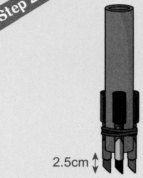

2.5cm

將3支箱頭筆平均地用橡筋綁在發泡膠棒外，筆尖向下，凸出發泡膠棒2.5cm外，然後將畫畫機械人放置在畫紙上。

Tips

3支箱頭筆應該可支撐機械人，如傾斜向其中一邊，請檢查箱頭筆位置是否平均。

Step 4

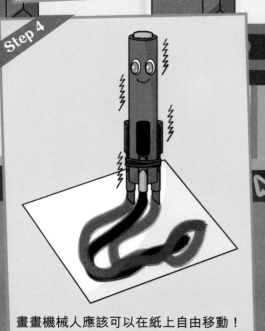

畫畫機械人應該可以在紙上自由移動！

Step 3

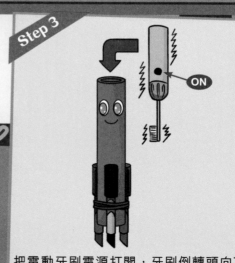

ON

把電動牙刷電源打開，牙刷倒轉頭向下放進發泡膠棒中間空心位置。

29

虛擬實境 Virtual Reality

戴上VR頭盔後，就好像置身在一個別的世界！明明身體還在原地，望向四周卻變成原始森林、汪洋大海，甚至可以一動不動地「乘搭」過山車⋯⋯虛擬實境技術就是透過視覺、聽覺和互動的裝置，讓人能夠達到有如親身體驗的效果。

戴上VR頭盔能隔絕外界的聲音和環境，頭盔內的螢幕用來顯示3D影像，而內置的感測器可以偵測頭部的旋轉角度，主機板會收集感測器的資料，及時調整螢幕影像及立體聲效果，在視覺和聽覺上給予使用者置身其中的感覺。有些VR體驗會使用到把手或者手套，就好像滑鼠能操作電腦一樣，這些裝置讓人能和虛擬世界互動，甚至讓你「摸到」虛擬影像呢！

全息影像

你有看過虛擬演唱會嗎？跟3D電影不一樣，就算沒有戴上3D眼罩或眼鏡，卻能看到立體的歌手或者動畫人物在台上載歌載舞，就像真人一樣！事實上，我們看到的並不是3D影像，而是2D影片透過鏡面反射的方式，把影像投影在45度斜角的薄膜上，將四塊薄膜放在舞台的四面，再配合適當的燈光造出陰影、厚度等效果，觀眾就會覺得自己「看到」的是飄浮在空中的立體影像，這就是全息影像（Hologram）了！

製作全息影像的原理並不困難，試試製作自己的3D影像吧！

材料

手機或平板電腦

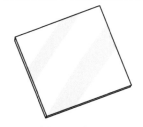
透明膠片(厚度約0.25mm)

鎅刀

透明膠紙

Step 1

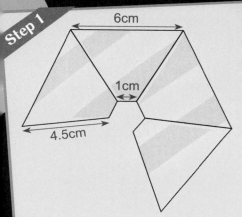

用透明膠片鎅出四個上底1cm、下底6cm，腰4.5cm的等腰梯形。

Step 2

用透明膠紙將四個梯形的腰相接，做成一個立體金字塔形狀。

*檢查立體的每一個面和角度是否對稱和平均，如果把它放在平面上傾向某一邊，那就需要重新調整。

Step 3

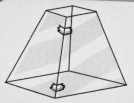

在YouTube搜尋關鍵字「Hologram」的影片，影片大多是黑色背景，有四個面向不同方向的圖像。

Step 4

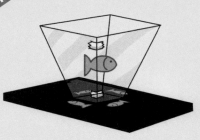

將手機或平板電腦螢幕朝上放在平面上，將金字塔倒轉(上闊下窄)，即是小正方形那面朝下，放在影片正中位置。

在水平位置觀察金字塔，圖像看上去是3D的嗎？

Tips

手機或平板電腦的影片大小和金字塔的大小需要互相配合，小正方形需放置在影片正中位置，不能離影像太近或太遠，如果大小不合適就要按比例調整。另外，不要在太光的地方觀看！

P.3 電腦

1. 主機
2. 輸出
3. 螢幕
4. 輸入
5. 滑鼠
6. 鍵盤
7. 光碟機
8. 儲存
9. 硬碟
10. 記憶體
11. 電源供應器
12. 風扇
13. CPU(中央處理器)
14. 主機板

P.5 智能電話

以下物品使用不同的物料製作,當中使用了導電材料的可以操作手機,而絕緣物質則無法操作手機。

- [x] 棉花棒
- [✓] 鋁箔紙(俗稱「錫紙」)
- [x/✓] 充電線
- [x] 毛巾
- [✓] 矽膠刮刀
- [x] 紙
- [x] 塑膠筆蓋
- [x] 未使用過的木鉛筆
- [✓] 水果
- [✓] 金屬萬字夾

P.7 無線電波

電磁波在穿過具有導電性的物質時,訊號會被減弱,所以鋁箔紙的格子大小會直接影響手機接收電磁波訊號,格子愈小手機訊號就愈弱,反過來說格子愈大訊號就愈強。

P.9 互聯網

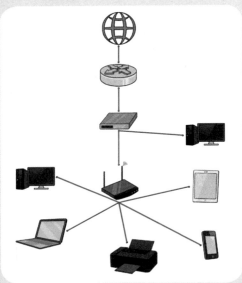

註1:電腦 A 及電腦 B 可以選擇接駁到路由器或 modem。

註2:路由器 (Router) 可以分享無線訊號 (Wi-Fi),連接其他智能裝置,例如電腦、電視、手機、平板電腦等。

P.11 條碼

1. [x]
2. [✓] QR CODE
3. [x]
4. [✓] Google Map
5. [✓] 香港閱讀城
6. [✓] 9789887502302 (本書的 ISBN)
7. [✓] STEM-TECH

P.13 智能卡

1. 打電話回家
2. 付款
3. 借書
4. 付款
5. 交費
6. 進入教員室
7. 付款
8. 進入學校
9. 付車資

P.15 電磁爐

大力搖晃磁鐵時會使它不停經過金屬線圈,電磁感應的作用下產生電力,讓燈珠亮起來。

P.17 製冷系統

沒有答案

P.19 溫室

P.21 水耕系統

沒有答案